À Elliot,
le grand
lecteur.

KARINE GOTTOT & MAXIM CYR

La petite DRAGOUILLE

Des mots partout

ÉDITIONS
MICHEL
QUINTIN

La petite
dragouille est ravie
de savoir enfin lire.

La voici prête à profiter
d'un bon moment de lecture,
en pleine nature.

Depuis que la petite dragouille
sait lire, elle s'aperçoit que
les mots sont partout.

Il y a des mots sur
le menu du restaurant.

Il y a des mots
sur les étiquettes
de ses vêtements.

Il y a des mots sur les panneaux de son quartier.

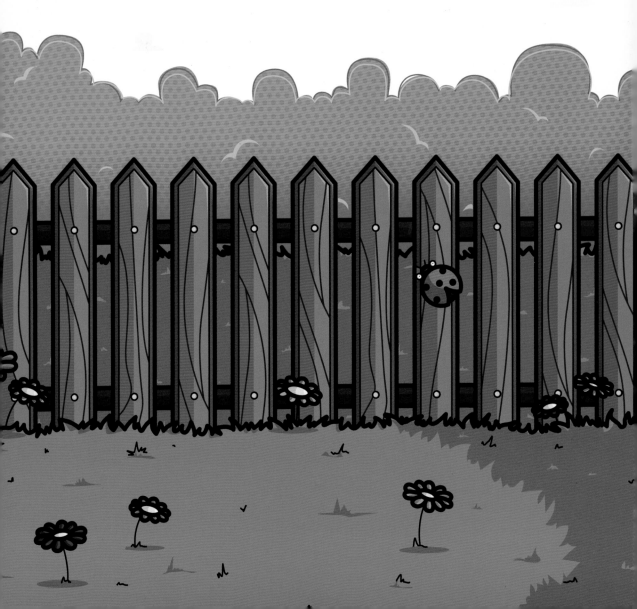

Il y a des mots
dans les cartes de souhaits.

Il y a des mots
sur les cartes de son
jeu de société préféré.

ARRIVÉE

Histoires
d'amour

Et, bien sûr,
il y a des mots dans les livres.

Quelle joie pour la petite dragouille
de découvrir, sans l'aide de personne,
toutes sortes de belles histoires.

Ha!
Ha!
Ha!

Histoires
qui font rire

Cela lui permet de se glisser
dans la peau de ses personnages favoris.
La petite patate cornue devient alors une
héroïne prête à relever tous les défis.

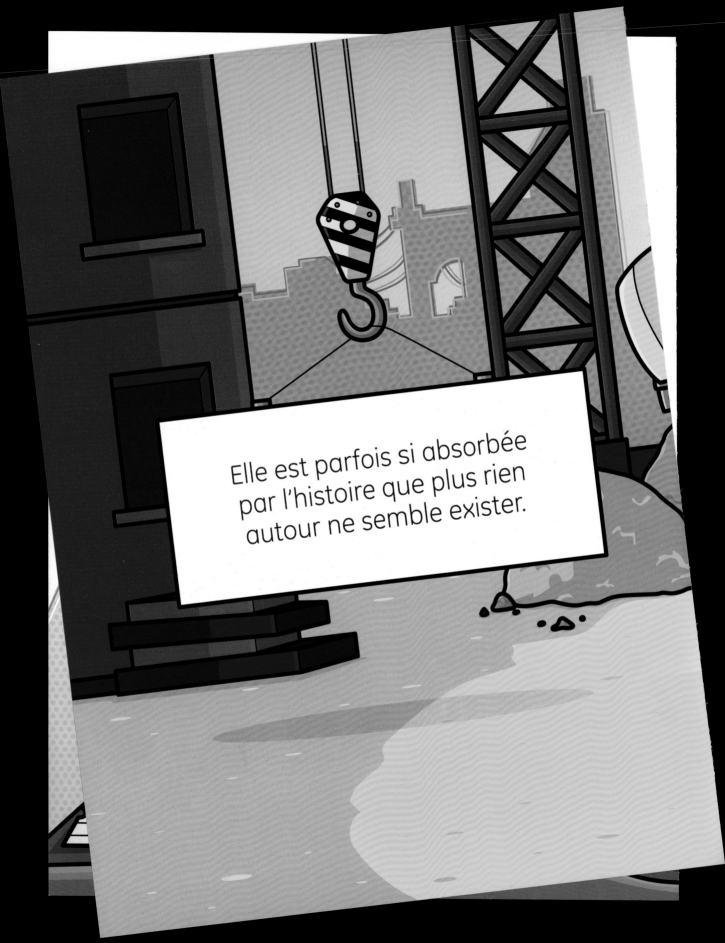

Elle est parfois si absorbée par l'histoire que plus rien autour ne semble exister.

La petite dragouille ne
se sépare jamais d'un livre
avant de l'avoir terminé.
Elle lit partout,
tout le temps.

Dans
les airs

Sous les
couvertures

La petite patate cornue est même un peu triste lorsqu'elle voit apparaître le mot « fin » à la dernière page. Mais son sourire revient vite, car elle sait que chaque nouvelle lecture est une autre aventure.

C'est à ton tour !

Les données de catalogage sont disponibles auprès de Bibliothèque et Archives nationales du Québec et de Bibliothèque et Archives Canada.

Éditrice : Colette Dufresne

Conseil des arts du Canada · Canada Council for the Arts · SODEC Québec · Financé par le gouvernement du Canada · Canada

La publication de cet ouvrage a été réalisée grâce au soutien financier du Conseil des arts du Canada et de la SODEC.

Gouvernement du Québec – Programme de crédit d'impôt pour l'édition de livres – Gestion SODEC

ISBN 978-2-89762-429-3

Dépôt légal – Bibliothèque et Archives nationales du Québec, 2019
Dépôt légal – Bibliothèque et Archives Canada, 2019

© 2019, Éditions Michel Quintin inc.

Éditions Michel Quintin
Montréal (Québec) Canada
editionsmichelquintin.ca
info@editionsmichelquintin.ca

19 - A P E - 1

Imprimé en Chine